그대 달빛으로
피어난 꽃이어라

그대 달빛으로 피어난 꽃이어라

초판 1쇄 발행	2022년 5월 29일
초판 1쇄 인쇄	2022년 5월 29일

지은이	이부건

책임편집	송세아
편집	안소라
디자인	theambitious factory
마케팅	시절인연
제작	김소은
관리	김한다 전현주
인쇄	아레스트

펴낸곳	도서출판 꿈공장플러스
출판등록	제 406-2017-000160호
주소	서울시 성북구 보국문로 16가길 43-20 꿈공장 1층

이메일	ceo@dreambooks.kr
홈페이지	www.dreambooks.kr
인스타그램	@dreambooks.ceo

전화번호	02-6012-2734
팩스	031-624-4527

ISBN	979-11-92134-17-8
정가	12,500원

서 시

내가 깃들 곳

가쁜 나의 숨
어디론가는
흘려 보내야겠어서

거닐고 또 거닐다
당신을 만났습니다.

나의 진심, 나의 한참을
스스러운 나를 품은 그대 마음에
더러, 내드립니다.

목차

1장
당신이 봄, 당신이 꽃

나의 이유 14   그댈 위해 지은 시 15   고해 告解 16

가려 보고 있었으니 그리 살았네 18   꽃답 19

詩새움 20   다락방 21   입춘 22   순한 꽃그늘 順花 23

벚꽃화랑 櫻花畵廊 24   분홍, 그대 25

눈꽃 녹아 꽃비 되네 26   효월 曉月 27   눈맞춤 28

낮꽃피다 29   그대를 좋아한다는 건 30

너의 어릴 적에게 31   도화 桃花 32   心作詩 33

다한증 34   능청 35   참나 36   나의 야근, 너의 퇴근 37

따라 걷기 38   비밀 얘기 39   옛 기억 40   과자 한 봉지 41

새감정 42   동심 動心 童心 44   무시꽃 45

2장

만개

하나의 젊음이 한 줌의 꽃눈에게 48　꽃잠 49

구원 50　어찌 감히 51　자장詩 52

내 마음은 협소한 듯하다 54

너의 의미는 늘 더 커다랗다 55

연인꽃 56　애정 愛程 57　무량 無量 58

답장 59　月相 60　화월 花月 61

달맞이꽃 62　해방초 解放草 64

동녘별 66　청솔 68　나는 여름, 실소 69

네가 흘린 것엔 70　모순감정 71

별비 72　별빛 73　옛편지의 끝인사 74　만개 75

목도리 76　감히 헤아릴 수 없이 아름다운 78

훗날, 나의 세상의 세상에게 當付 79

말 없는 사랑 80　과분한 사람 81　정착 82

꽃모습 83　일생 84　雪松 85　고별사 86

손수건 87　그런 세상도 있었을까요 88

다시 걷자, 망각 따위 89　첫사랑 90

겹사랑 91　노부부의 일기 92

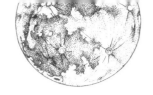

3장

낙화할 적

1932.12.19 96   헌화 97   산새 98   투영 99

부재의 전제 100   아쉬웠던 마음 모아 101

이상한 일 重複 102   적막 103   절화 折花 104

다 가저가 줘요 105   사무침 106   시종여일 時限附 108

사별 109   여광 餘光 110   염려 111   애증 愛憎 112

사랑끝 114   지각 115   빈 마음, 밤 116   어항 117

옥루 玉淚 118   단말마 斷末摩 119

한 사람의 억장이 무너졌던 날 120   불면 122

독방 123   고해 苦海 124   곤혹한 밤 125   공전 126

필연감정 戀情 128   너에게로 돌아가는 길 129

4장

맺음, 봄을 기다리며……

난제 132   무제 無際 133   선행열차 先行列車 134

난시 135   자리끼 136   동경 137   가장 어릴 적 기억 138

여파 140   언젠가의 나에게 141   험로 險路 142

네가 괜찮아질 이유 143   설중화 雪中花 144   명명 命名 145

여백으로 채워진 마음 146   전유 專有 147

만개의 꽃이 되어 148   등대지기 149   쉬어갈 때 150

격세지감 隔世之感 152   해월 海月 153   비틀어진 것 154

Priceless 155   그날의 누이에게 156   주심 主心 六德 158

무교 無敎 巫敎 159   새아침 160   의문 162   울보꽃 164

꿈 166   존재만으로 기쁨이 되는 것들이 있다 167

1장

당신이 봄, 당신이 꽃

나의 이유

차디찬 바람보다
어설픈 봄내음에 동요하게 되는 건
나 행복하기 위해 태어났다 해석하렵니다.

그댈 위해 지은 시

거창한 제목에 비해
어떤 말 남겨야 할지.
애써, 고운 그대 눈웃음
그걸 바라보는 아련한 내 마음 담았어요
그 깊은 눈에서 떨어진 반짝이는 꽃방울
나 잊지 못할 거예요

고해 告解

나 뭐라고, 찾아오는 이 많았지만

선뜻 대문 밖 걸음하지 못한 데에는
과분한 벗들에 그리움 한 번 기별하지 못한 데에는

건넬 다과 하나 없었기에
문담으로 전할 낭보 일구조차 가꾸지 못하여

잘 지내냐는 말에 부끄러웠고
보고 싶다는 말에 죄스러웠고
잘 지내라는 말에 미안쩍어 그랬습니다

이리 못났어도
혹여 내 그대들 소중치 않게 생각한다 여길까
두려워 홀로 글썽였습니다

이제 그만 비수에 시름해도 될 때 즈음
더는 가라앉지 않아도 될 무렵

아주 늦을지라도 내 언젠가
꼭 찾아들 뵐 테니
그때까지 안녕들 하시오

가려 보고 있었으니 그리 살았네

나의 마음 언짢게 하는 것은
나 아니라 주변의 화명한 배경들과 지저귐

아니 어쩌면 그조차도 나이려나

마음대로 좋은 것 나쁜 것 나눠 봐놓고
나쁜 마음만 가지었으니 으레 그리 살았으렷다

꽃답

봄꽃은
누구나 피고 지기에
사무치게 아쉬워 말라는
인생의 실마리만 같습니다

詩새움

뒤늦은 꿈

그러한 것 있다면

이른 꿈도 있으랴

깨어나 있는 시간은,
꿈을 꾸고
깨어 있는 시간은

현실과 독배와 아픔과 상처

다만 그것들조차
일단 꿈꾸는 자의 것

악몽이 무서워
무몽無夢의 잠을 자는 이들아

단잠 자는 이들
흘겨보지 말라.

다락방

희미한 등불.

그만큼의 노랫소리.

한 아팠던 젊은이.

옅은 한숨.

깊은 사념.

붙들린 펜.

낡은 수첩.

지지 않는 너.

나의 다락방.

나의 꿈, 나의 전부.

입춘

어떤 둔한 이는

안사람 재채기에 봄 찾아왔구나 합니다

순한 꽃그늘 順花

커다랗고 씩씩했던 여인

이제는 근심과 가까워라
강했던 마음은 물러 보내고
부엌에 앉아 적적히 시간 보내네

한참을 작은 새순 위해 피어있었으니

되었어요 그걸로 되었어요
이제는 제가 컸어요

벚꽃화랑 櫻花畫廊

꽃 앞에 선 꽃

저의 초점을 드려요

어슴푸레한 빛,
나의 눈을 감아

살포시 그날을 인화하였어요

분홍, 그대

흩나리는 분홍잎들
멀지 않은 곳에 그대 있었고

조금 더 가까이엔
잡아야 할 것만 같던 벚꽃눈이.

새봄이 찾아와도
저는 다시 그때로 돌아가

그 꽃잎 쥐고
천천히
걸어옵니다

눈꽃 녹아 꽃비 되네

두 계절 만의 재회

덤덤한 얼굴이
서운했을까. 안긴 채
입은 닫아놓은 너

말없이—

나의 떨림
가장 잘 들리는 곳에
너의 귀를 놓는다

이제야 알겠는지

한참을 숨죽여 우는 너였다.

효월 曉月

달 깊은 밤, 극장에서 나와
같이 맞았던 새벽 공기
이내 너 데려다주던 길

참- 그것이 참 좋았노라 말하지 못했다
한 수천을 곱씹었음에도

너무도 좋아한다 말하지 못했다

눈맞춤

그대여 눈 마주해요
가끔은 부끄러워
피해도 되니
제 마음 다 알 때까지만
아마 영원 정도까지만

낯꽃피다

나의 마음 전하려 서툰 입을 떼면서
어느샌가
부끄러움 속에, 기쁨을 새로이 느끼고
그 마음 간직해 줄 듯한 맞은편의 낯꽃을 새기어요

그대를 좋아한다는 건

나의 밤 앗아갈 만큼
어느 날을 세어도 어여쁜 그대에게
내 마음 드러낼 명분을 찾는 일

너의 어릴 적에게

얼른 커서 나에게 오렴
너무도 보고 싶으니

도화 桃花

복사꽃 같은 그대를 그리고 그리워합니다.

心作詩

펜 쥐어 노트 한편에
글 몇 자 새기면은, 그대 있나니
한 자, 한 자 꾹꾹 눌러 써봅니다.

다한증

이때껏
애써 긴장한 모습 숨겼는데

보드라운 손
맞잡았을 때
아무래도 들킨 것 같다

능청

어떤 이는, 보고 싶어
너의 말로 하루를 살고

또 어떤 이는, 사랑해
너의 글로 평생을 산다

아마 그 어떤 이는
그리 멀지 않은 곳에.

참나

너 혼자 먹으니 맛있더냐

아니아니 맛없었어.

그래놓고 환히 웃는 그대가
사랑옵다

나의 야근, 너의 퇴근

요즘 일이 좀 많네
너무 늦었다
이만 자

저는 아마
매번 늦는 미운 서방.

문소리에 깰까
숨죽여 들어오는 나를
밝게 반기던 너

이미 잠든 눈으로
남편이 재워주는 게 좋다며
방실대던.

그런 너를 어설피 뒤로하고,
도망치듯 욕실로 들어가
물줄기에 숨어야만 했습니다

저의 퇴근이 늦으면
늘 그대의 잠은 더 늦었어요.

따라 걷기

그대 발걸음 속도 닮고 싶습니다

같은 정도로 세상이 스쳐감을 느끼고

그만 멈춰 섰을 때 같은 곳에 자리하도록
같은 방향 보며 걸어가고 싶어요

비밀 얘기

자취방 가는 길
길괭이 한 마리 꼬리 살랑이며 오더니 볼 비벼댄다
한참을 쓰담다 이제 가야지 싶어
손 잠시 떼니 덥석 물어 목덜미 내어준다
이 녀석 보게.
아예 자리 잡고 앉았다
또 한참을 어루만지다
왜인지는 모를,
귀엽다 좋아한다 사랑한다 말했다
어이없다는 듯 말똥이는 눈이
이름을 알려줘야지 하는 듯하다
그건 다음에 또 만나면 알려주마
비밀 친구 하나 생겼다.

옛 기억

본인도 작디작은 아이면서
동생 손 꼬-옥 잡고 등교하네
뽀작뽀작 아장아장

그때의 내 마음은 무엇이었을까
지금 다 크고도 다 표현할 수 없네

과자 한 봉지

아들이 혹여 잠에서 깰까
차마 문을 열진 못하고
몰래 문 앞에 놓아둔 과자 한 봉지

조용히 놓여진 과자 한 봉지에
속닥히 내 마음 아려온다

새 감정

코끝이
가슴이
찡하게 경련하는 순간

사뭇
다른 영역의
감정이 와 앉고는 합니다

뭉그러지어,
그을려 서려 있던
응어리 토해 낼 때
왼편에 새돋은 처연한 시려움

부고조차 앞서
초상에 자리한 친우에게
왈칵 쏟아진
북받침의 연장선

젊어있는

올 어버이 사진첩에

이를 말 없는

애틋함이 계시옵고

별리 두고

가슴팍에 얼굴 부비며

울먹이는 그대로서

연모의 너머를 보았습니다

이토록

갑작스런 새감정에

제 마음속 한 아이

당혹한 눈물 흘리곤 했습니다

동심 動心 · 童心

어릴 적 마지막 달하고 스무나흘 뒤쯤
아버지 어린 시절 산타 뒷모습 보셨다는 얘기에
그 모습 한번 보겠다고
졸린 눈 뜨고서 겨우겨우 버텼건만
잠시 방심한 틈에 날 밝았습니다.
어찌 알았는지 나 그리 바라던 장난감, 고운 상자 입고
눈부신 성탄목 밑에서 쉬고 있었지요
산타 할아버지 그 개구쟁이 녀석 눈 피하려 숨는다고,
너무 늦게 꿈나라 가신 건 아닐지

저는요 아직도 산타 있다 믿습니다.

무시꽃

식탁서 홀로 밥술 뜨다
전날, 할머니 쥐어 주신
보따리 사이로
슬쩍 보이는 작은 꽃모임

… !
저는 그날 처음 알았습니다
저 투박한 무시에서도 꽃이 피는구나.

불쑥 찾아든 어여쁨은 참 기쁜 것.

그러네
항상 고울 필요는 없구나
그 덕에 오히려
꽃 피울 때 두드러지는 것임을.

투박함과 서투름은
그저 반전과 부각의 허물일 뿐이었어요

2장

만개

하나의 젊음이 한 줌의 꽃눈에게

그는 그녀에게
다정하게 말을 건네고
뜨거운 숨결 주더니
어느새 전부가 되었네요

그댄 나의 젊은 사랑

눈 감아요
내 온전한 사랑

꽃 잠

등불 아래
졸음 짓던 소시인에게
두 팔 뻗어 재워달라던 각시

저도 그만
참지 못하고
꼬옥— 껴안아 버렸습니다

구원

나를 잃을까
펑펑 우는 그대에게서
나를 얻었다

어찌 감히

내 목소리 그게 뭐라고
조금이라도 더 들으려 끝까지 버티다 잠들어놓고
뭐가 그리 마음에 걸렸는지

다시 일어나
나에게 사랑한다는 말을 몇 번이고 속삭이고서야
겨우 잠에 드는 그대

그런 그대를 옆에 두고
나는 그 누구에게서 더 큰 의미를 찾을 수 있을까

자장詩

수화기 속
그대 숨소리 들으면

쌔근-쌔근
쌔-애근 쌔-애근

그 소리는
내가 너를 좋아하는 모양과 닮았다

조용하면서도
분명한
그러한 형태

그렇게

나의 잠이
그대보다 짧아도

나의 그대
오늘 더 길 테니

나는, 나는 좋아요

내 마음은 협소한 듯하다

내 가치관에는

소수만 산다

어쩌면 너만이 산다

너의 의미는 늘 더 커다랗다

단초單秒의 싱글거림,

나의 하루는 그대로 피었다.

연인꽃

어제를 그저께의 내일이라
오늘을 그저께의 모레라

그저께 반쪽과 입맞춤을 했던
하얀 부채꽃은
그렇게 날을 세고 있습니다

애정 愛程

나 아주 오래도록 다닐게요
매 걸음 천천히 내딛을게요

꽃도 심어주고 빗자루질도 할게요

가끔 돗자리 펴고 어루만져도 주겠어요

나의 길 되어주세요

무량 無量

나의 마음 어떻게 전해야 할지 몰라

제 마음의 크기를

그대 몫으로 남겨둡니다

답장

내가 세상에서 제일 제일 좋다는 말에
무심코 답했다

너는 내 세상이야

2020. 11. 27

月相

보름달은 달이다
반달도 달이다
삭월 또한 달이다

사랑이 그렇다.

모든 것이 보이는 게 사랑이듯
다 보이지 않아도 사랑이다
혹, 볼 수 없다 해도 사랑이다

달은
보름인 날보다
가려져 있는 날이 더 많다

그럼에도 달이다

그럼에도 사랑이다.

화월 花月

어인 건지,
달 비치는 꽃잎새

너는 꽃이면서도
사랑을 하고 있구나

그대 달빛으로 피어난 꽃이어라

달맞이꽃

달을
사모하는 꽃

닿을 수 없음은
너에게 중요치 않았고

모두 흑의 색 보고
눈 감을 때

달빛으로
너는 노오란 꽃을 피워내었으니

옳다, 너는
달을 가질
자격이 충분타

기다림아,
기어이 너는
사모하는 것에
미치었구나

부디 평생
그렇게 불리우며
연모하던 것과 함께하리

해방초 解放草

그 이름으로
반절은 기다림의
굴레에서 해방된 초본.

네 눈에는 일찍이
여명의 빛이 보여
한 달 이르게 꽃 피웠더냐

그러고선 우리를
어둠에서 지키려
밤을 밝히느냐

어떤 아픔 가지었길래
크게 명시키라도 하듯
샛노란
달빛 빼닮았더냐

너에게 달은

그런 의미였더냐.

동녘별

제가
바라보는
별을

그 성명을, 뛰어넘는
꿈별 존재하노라면

그 어떤 존재
저 미워해야만 할까요

모르겠어요
저는 그저 당신을 바라봅니다

당신의 비애조차
제겐 한 줄기의 눈부심

고뇌의 부끄러움과
참회의 부끄러움과
독립된 부끄러움에
바치는 나의 경외

온한 거울 잃은 별,
그 뜻 세상 모른대도
괘념 않았을.

하지만 이제는 세상도 압니다

새에, 아스라이 피어난 별이었음을.

청솔

푸른 잎아 푸른 잎아
어찌 그리 푸르느냐

덕분에 내 마음도
오늘 하루
푸르노라

나는 여름, 실소

여름은 정이 안 간다.

다만,
시원한 등목
맨발 아래 모래사장
입수할 명분과 벌써 말린 빨래
그것이 좋다

이렇게 보니
딱히 싫어할 이유가 있었나

아.
나의 온도.
냉수에 덜어 주고도 넘치는 열
그건 어찌할 도리가 없다

허 참. 싫다 해놓고
내가 여름이었구나.

웃긴다.
여름이, 여름이 싫댄다.

네가 흘린 것엔

맑은 꿈 비치는 너의 눈망울엔 젊음이 있네

사뭇 부서지는 눈물에 묽은 아픔이 있네

모순감정

그대가 있으니
자꾸 내일을 기대하게 된다

별비

별비 내리던 날
가까이 지던 별에
눈 감고 무언가
살며시 빌던
그대 보면서
나 어떤 다짐 했게요
춥지 하며 잡아주었던
그대 손에
슬며시 적어놓았어요

별빛

별은 자신이 얼마나 밝은지 알기나 할까

주변이 너무나 환해 잘 모르지는 않을까

그렇기에
저 멀리 있는 별을 부러워하고 있지는 않을지

말해주고 싶다
너는 분명 별이고
누구보다도 밝다고

혹여, 아직 별이 아니면 어때
이미 이렇게 빛나는데

옛편지의 끝인사

제가 이 글을 마저 쓰고
그대에게 건네기까지

전 얼마나 더
그대를 좋아하게 되었을까

매일을 이렇게 좋아할게요
매 순간을 이리 기억할게요

만개

마음가지도
표현의 꽃잎도
자라나는 것이라 봅니다

과거의 수줍은 그대는요
아직, 마음서 벗어나지 않도록
그대 내킬 마음만큼만 내게 주오

그때의 저도
그대 무겁지 않도록
나의 진심 반틈만 꺼낼 테니

그렇게 어제까지 살아보니
마음 다 보이는, 그런 사람을 만난다는 건
작지 않은 기적이었고

오늘 그대를 안아 보니
그렇지 않던 이가 그런 사람 되어준다는 건
그건 분명 더없이 큰 기적.

목도리

뜨겁고 더운 몸 갖고도
마지막 계절 다가오면은요

제가 좋아했던 한 여인
제게 선물한 목도리 꼭 매고 다녔어요

무뚝뚝했던 그때의 나,
그나마 취약한 목에
그대 마음 두르고

제 마음과 저 자체는
그대에게 속해 있음을
그 누구도 모르게 홀로 자랑했어요

가끔 그대 사랑하는 마음
불쑥 자라 버티기 힘든 날엔

그 마음 비치는 곳 찾아
무심히
저 보이게
사진 몇 장 찍어 보내어

그 마음 풀곤 했어요
그렇게 사랑하곤 했어요

감히 헤아릴 수 없이 아름다운

세상을 낳고 저리도 빛나셨구나
세상을 품고도 저리 아름다우셨구나

훗날, 나의 세상의 세상에게 當付

자네로서 울리지만 말아주게
나를 넘은 소중함이었네

말 없는 사랑

출근길에
너의 잠든 뺨에 대고
나의 입맞춤을 남겨 놓는 일

잠결에
당신의 마음을 받고
창가로 달려가
그대의 뒷모습 바라보는 일

과분한 사람

말도 체하는 듯합니다.
나 닮은 아들 재워놓고,
멀지 못한 곳에서
지쳐 잠든 당신 보니
목이 메어만 옵니다.

정착

부모는 땅
아무것도 모르겠지만
일단은 당당히 힘껏 딛을 수 있게 한다

형제는 나무
말은 하지 않아도 혼자가 아니라
그늘로나마 나를 알아주듯 위로한다

자식은 그러다 마주친 예쁜 민들레꽃.
하염없이 걷던 내 걸음을 끝내 머물린다

아아. 그래도 내 이 작은 것만큼은
바람 타고 훨훨 날아갈 때까지 잘 지켜내 보리

꽃모습

꽃들은
꽃씨들 날게 해주려
평생 나다니고 싶은 마음 포기하나 보다

단 한 번 비행할 수 있다면
나 아니라
나 대신해
그 작은 것들이었으면 하며
힘 모아 가만히 웅크리고 있나 보다

그리 사는 사람들
다 한 송이의 꽃인가 보다

일생

딸아, 여보, 엄마
아들, 당신, 아빠

어서 오렴, 어서 와요, 안아 줘요

고마웠다, 고마워요, 고맙습니다

사랑한다, 사랑해요, 사랑합니다

어서 오렴, 어서 와요, 보고 싶어요

雪松

수야, 한번 골라 봐라

장날이면
매번 검소하고 실리적인
기껏 몇백 원짜리
신 사다 신다

언제는
아부지 제 손잡고
상표 있는 운동화 사주셨어요

으뜸 되진 못한 상표였지만
저 그 순간을, 그 애화愛靴를
환갑을 바라보는 나이에도

저의 회억 속
황새냉이 새긴
설송장雪松欌에
고이 간직하고 있답니다

고별사

그대 울지 마시오
나는 순순히 가지만
마음은 힘껏 남아있을 테니

손수건

내가 눈물 닦아주지 못할 때조차
그대 혼자가 아님을 알아주오

그런 세상도 있었을까요

그대와 나 만난
그 어떤 세상에서는
아주 오래, 어쩌면 영원이라 하는 것조차도 닳아냈겠지요

그곳의 당신에겐 저 더이상 낯선 외부인 아닐까요
이곳의 당신은 절 모르겠지만 전 당신을 아주 잘 안답니다

내가 놓쳐버린, 아니 우리가 놓아버린
아쉽고 아픈 그 세계에는 아직 그대 있을 테니

사랑합니다.

저 홀로 둔 그대 가끔 너무도 밉지만
제겐 그저, 기억의 시간이 잊혀짐보다 조금 느린
어여쁜 내사람

저는 그대 다시 만날 날까지 기억할게요
사실 제겐 이 세상도 행복했었다 전하고 싶거든요

다시 걷자, 망각 따위

그녀의 귀여운 망상
우리 둘 다 기억을 잃으면 어쩌나 하는.

웃으며 쉬이 대답한다

괜찮아
여태껏 우리가 걸어온 길과 다를 바 없으니

첫사랑

그대와 함께한 순간들이
처음이어서가 아니라

그대여서 그대였기에 더욱 특별했음을.

겹사랑

우리는 이제까지 다른 사랑을 했으나

오늘은 같은 사랑을 해요

노부부의 일기

이마에
나이테 그어지고

머리에는
새하얀 눈이 서렸는데도

선명한 음성은 남아
서로를 향하고

가끔 지그시 손잡고선
마실 다녀오곤 해요

임자.

애틋히, 우리 마음의

결실들 다 성숙시켰으니

이제는 우리만의 사랑을 합시다.

어쩌면

제가 바랐던 사랑은

사랑의 끝자락에 있을지도 모르겠습니다

3장

낙화할 적

1932. 12. 19

건경한 하늘 위로 하고

곤히 땅 덮어, 부릅뜬 눈 이제야 겨우

감고서 달나라 꿈꾸시나요

리을자도 채 익히지 못한 딸아이 해맑게 웃기만 합니다

0301 0606 0717 0815 1001 1003 1009

헌화

떠나가는 이보다
떠나보내는 이를 위한 것일지.
저 이제 마음 떼어내야 한다 선고받는 날
매년 이날을 기다리고 지나 보내며
마음 추스를 모습 눈에 선한
그 첫걸음을 떼는 것
간 자는 말이 없지만
산 자도 말만으로 다할 수 없기에
받을 수 있을지도 모르는
이 세계의 것들
나의 도리 내 마음 삼아
올립니다.

산새

오늘은 뭐가 슬퍼 그리 슬피 우느뇨

나는 같이 못 간단다

날지 못하는 것은 나인데
왜 네가 그리 슬퍼 우느뇨

투영

나 분명 그리 배우지 않았는데
모든 곳에 그대 비칩니다

일렁이는 파도 속에서
이끌려 와버리고

푸르스름한 구름걸이에
혼자만 억지스레 부동합니다

눈은 자꾸만 그댈 보는데
입은 자꾸만 그댈 삼킵니다

부재의 전제

교복 입는 날 있었기에
토요일이 실컷 설레었고

돌아갈 곳 있었어서
바람 쐼이 한참 즐거웠고

그대 담은 날로
기다림의 날들 기꺼이 기뻤습니다

부재는 존재의 잔가지

미련하게도 다 지나 보내고 깨닫습니다

아쉬웠던 마음 모아

넌 목소리가 참 좋아
시려운 손 내 잡아줄까
보고 싶은 거 같아

채 나의 음성 되기 전,
망설임 두었던 마음 모아
멋쩍은, 조금은 쓰라린 웃음 지어
네게 부친다

문득 나 생각나면

아주 가끔,
싱겁게 펼쳐다오

이상한 일 重複

보고 싶다 남기려 왔는데
이미 있었다

적막

저의 방

불빛 늦게 잠그는 건

그대의 음성

지금은 들리지 않는데

맴도는 것도 같아

내 말소리 내면

지워져 버릴까

그대 없이는 점점

과묵한 사람 되어가요

절화 折花

네가 웃을수록
나, 불안의 밤 머지않다

너를 꺾은 것은 아닐지

너를 만난 곳
선명히 기억하면서

도로 심을 곳 잊었다며
꼬옥- 쥐고 있는 것은 아닐지

다 가져가 줘요

제가 놓아 끝날 인연인들,
저는 끝내 붙잡고 있을게요

미련 자국 남지 않게.
그 감정만은 저의 것이 아니에요

저는 잘못이 없거든요
저는 사랑을 했거든요

사무침

그대를 지우는 건
시간이 아니었어요

그 시간이 제게 스미어들었던 것

그대를 그리는 시간에 익숙해지고
부분 부분의 그대를 품고
살아갈 겨를이 생겼던 것

이제 더는 그대 생각에
저의 밤을 아프게 하는 것은
제게 이상한 일이 아니에요

저는 속으로 울 수 있게 되었고

담담히
이름 잃은 손가락을
매만질 수도 있어요

제가 버틸 수 있었던 건
결국 혼자서, 조용히, 넘치도록
그대를 볼 수 있었기 때문이에요

저를 아프게 한 것도
저를 살게 한 것도
결국 그대였어요

시종여일 時限附

약속은 의미를 잃었고요

소중했던 것들
슬픈 말 되어가요

이젠
그대를 바라는 마음,
참 못된 것이니

제가 위안 삼는 건
변할 말 없는
사랑

사랑이었고
사랑이고
사랑일 것이라는 자명한 사실…

사별

….
별 지고서 수 광년曠年 후에서야
뵈는데

내 품에 사무치운 별 지고서
차마 제게 어린 빛, 거슬지 못하지요

너무나 소중했던, 눈부셨던 별이었어서
아직도 제겐, 그저 빛나고만 있습니다.

여광 餘光

너무 밝은 빛을 봐버린 저임에,
어렴풋한 빛으로는 나의 맘 채울 수 없어
그 빛 떠올리며 헤매어요

염려

그대 이을 사람 있겠지만
그대 지울 사람 없겠지요

애증 愛憎

우리는
추운 날 차창 두고 섰어요.

한 명은 안에서
남은
한 명은 밖에서

서로의 말은 들리지 않아
따뜻함의 차이로
성에 낀 투명한 벽

사랑한다 남기지만
하나에겐 뒤집힌 문장

안에 있는 이
떠나면

밖에 있는 이는
채 따라잡지 못해

남는 것은 고작
몇 자의 글자뿐

분명 소중한 애증愛憎 하나,

그마저 달리다 보면
차가움의 차이로
바래져 가고

남은 것은
서로를 현상한
기억 속 시야

잘 가. 영원 기쁨 사랑

사랑끝

그대 놓고서

나는 온전한 사랑을 배웠네

지각

마음은 따라가는 것
깨달았을 땐 이미 그 사람 없어서.

그 시간의, 마음의 괴리가
늦된 사랑 만드나 보다

빈 마음, 밤

내 기분 토닥여주어 좋았던
아쉬운 것들 흐리어 주었던
몹시 차갑고도 한껏 따뜻했던 가을비에
신경질을 내고 있는 나, 새삼 놀라는 밤

무언가 잃은 게 아니라
내려놓은 아니면 놓쳐버린 그러한 것만 같은.

어항

저 물고기들은
순간 속에 사나
영원 속에 사나

번민의 답을 알 것만 같은 그들은
그저 말없이

뻐끔 또 뻐끔

옥루 玉淚

병상에 누워 계시던 할아버지
뭘 그리 많이 꽂고 계신지
야위어 가죽만 남은, 어린 손 잡아드리니

황송한 옥루 흘리시며 당신께서 하시던 말씀
우리 맏상주, 장가가는 거 보고 가야 하는데……

저 아직 멀었는데 어디에 계신가요

이 세상 지겨워 멀리 여행 가셨나요
그러신 거라면 평안하시기만을 바랍니다

그저, 그때 드린 손이 따뜻해 다행이라 여깁니다

단말마 斷末摩

살면서
가장 아플 때는
내가 가장 지켜주고 싶던 이가
무너질 때.
내가 해줄 수 있는 게 없을 때
내려앉는 걸 지켜낼 수 없을 때

그때 들린 비명은
내가 질렀음이 분명하다

한 사람의 억장이 무너졌던 날

새것 사러 가기로 한 날이었다
들떠 있던 나의 일주일

그것을 알기나 하는지
평소 친하던 삼촌,
거의 새것 가져가라 했다며
같이 가자시던 아버지의 말씀

표정을 어찌어찌 숨기고
괜스레 미워졌던 삼촌께
감사하다 하고서는

말없이 앞자리에 탔고
집 도착할 동안 말이 없었다

그날따라 유난히 번지어 보였던

빨간 신호등 빛

건아, 마음에 안 들어?

새것 사주기로 하셨잖아요...

속으로 답했다

지금도 그때를 떠올리면

조용히 그렁그렁한 눈을 숨기었던

한 아이, 마음 참 아리게 한다

그런데 이제는 아버지도 보여요

새것 사주지 못해 마음 몹시 편찮으셨을.

세상 다 주고 싶었을 분인데, 제 아버지는.

그때 어떤 마음으로 내리 운전대를 잡으셨을까

불면

매일 밤
나를 죽이고 또 죽였다

더 이상 그럴 수 없을 정도로
찌르고 또 찔렀더니

그제서야 알았다

나는 살고 싶었던 것이다

독방

마음 영글지도 못한 아이
문 걸어 잠그고 벽에 기대어 숨넘어갈 듯하다
그 아이 다 잃었다는 것
할 수 있는 거라곤
고작 자신을 그 작은 방에
홀로 가두는 행위뿐인데도
곧 다시 열어야 함을 알면서도 하고야 만다
내 새끼 세상 잃었다는데
자기 스스로를 바쳐 인질극하고 있는데
예의에서 잠시 벗어난 대구 따위 뭐가 그리 중한가
아직 그 작은 존재 스스로 철쇄 풀지 못한다
그 아이 차갑게 식은 문 열고 나올 때는
늦고도 늦다
마음 풀어낸 게 아니라 부수고 나온다

고해 苦海

용서할 수도
용서하지 않을 수도 없을 때
어찌해야 할까요

나약한 저는
너무도 힘이 듭니다

곤혹한 밤

짓눌리는 무게를 받았다.

당신은 제게 덜어내었지만
저는 덜어줄 사람이 없습니다

그날에,
그 후의 날도
나의 의사는 없었고

도망치고
잊어봐도
나는 다시 제자리에

그렇게
수년을 당혹의 날로 지새웁니다.

그렇게……
그 순간서 삽니다.

섧다, 그때의 나
가엾어라, 나약한 나

공전

더 가까워지지도
그렇다고 멀어지지도
그저 맴돌고 맴돌 뿐

당신께 안기면
나, 더없이 차가운 운석 되어
또 그렇게 불리어
그대 몸도 내 마음도
다치게 될까 봐

그대 손 놓고
우리의 거리 벗어나면
나 그리며 그토록 아끼어 주시던
또 다른 소아들은, 내게 빌었던 소망들
다 떠나가 버렸다 여길까

오래도록 이곳에 머물러요

당신은 제게 등을 보이기도,
저의 부분만을 가려 보기도.

그렇대도

전 늘 같은 눈으로
그댈 바라보고 있을게요

당신 품은 것들
다 떠나가면
그때 다시 만나요

필연감정 戀情

손을 놓았다

한 번 끝이 보이니
계속해서 그 끝만 보였기에.

그래놓고서
나는 또, 뒤를 돌아본다

그 길에
그대 데려올 순간 있었을까 싶어서

너에게로 돌아가는 길

뒤돌아보니
나는 두 켤레의 발자국을
다 지켜내지 못하였다

유독 깊게 파여진
한 족적,

나는 또 거기에 서서
마지막의 너를 본다

그런 표정은 짓지 말아라

너 아니었다면
이다지도 오지 못했을 테니

4장

맺음, 봄을 기다리며……

난제

꿈이란 무엇이냐는
조카의 말에

머뭇대야만 했다

나는
너무 많은 것을 알아버렸다

무제 無際

고작
동경하는 책 두 권 품고
오늘을 산다는 건
버거워라

시를 쓰면서도
사각일 때
망설임이 있습니다

세상의 등불
외사랑의 고백글
나 비추는 거울
그쯤 되는 보옥은 아니래도

어제를 이만 보내며
남는 아쉬움 없기를
그러다 가끔 잔별의 날 맞기를.

선행열차 先行列車

같은 역, 같은 시각
너 만나러 갈 때
건너편 기차는 그곳에서 막 오던 참이던데
지금 다녀올 때 내가 그 열차 타고 왔네

미리 다녀온 그 열차에도
저 같은 마음 헛헛한 사람 있었을까요

난시

저 앙상한 잔가지가
더 야위어 보이는 데에는
힘겨히 빌린 기운으로
자신을 갉아내
푸른 잎 피워냈기에
그렇게 그리도
화려한 꽃 보여주었어서
음, 또 또 새하얀 여백들?

사실 저 뿌듯해야 할 잔가지를
구태여
앙상하게 보는 것은
저의 눈일지도 모르겠어요

자리끼

어릴 적
몹시 아팠던 때가 있었다

눈을 뜨면 목이 말라
고개 살짝 돌려
물을 벌컥벌컥 마시고
다시 눕는다

지금 생각해 보니
그 물 말랐던 적이 없다

동경

거짓되어 보이리만큼
무거운 그 이름
잠시 눈 돌렸을 때
그 청정淸淨의 시간만은
부디 아프고 아쉬운 것들 말고
당신께 어울리는 글자를 보았으면 합니다
당신도 그 새겨짐도 서로 빛날 수 있기를

가장 어릴 적 기억

평택 가는 열차서 내리면
나의 키에 맞추어 앉아
양팔 벌려, 껴안아 맞이하던
내 창건의 연유

당신께서는 왜 홀로 그곳에...

본인의 반쪽과
나머지의 반쪽들도
저 밑에 떼어 두고서
지낼만하셨나요

며칠 같이
지나 보내지도 못하고
도로 젊은 아내의
손 붙잡은 아들내미,
등에 업힌 딸내미

머물러야 했던 당신은

이네들 기차역 데려다주며

그네들 부둥켜 안아주며

어떤 생각 하셨는지요

그때는

아빠 보러 갈 때 기쁜 건 알아도

헤어질 때가 슬픈 것임은 몰랐습니다.

여파

한 남자는
고백했다.

다른 한 남자는
간직했다.

얻지 못함은 똑같았다.

그래도
두 남자는
다른 세상에 산다.

언젠가의 나에게

뒤늦은 용기는
의미가 바래질 뿐이에요

그리고선
이내 후회가 되겠지요

그 마음,
오늘이어야만 해요

험로 險路

누가 봐도 힘들고 어려운 일
말도 안 된다고 할 수 있는 일을
딱 한 번쯤은
단 한 사람쯤과는
하고 싶을 수 있지 않을까
해도 괜찮지 않을까

네가 괜찮아질 이유

아파도 괜찮다
슬퍼도 괜찮다

넘어져도 괜찮다
쉬어가도 괜찮다

괜찮다.
언젠가 분명 이겨낼 그대가 있고
곁에서 기다려줄 내가 있다
그러니 괜찮다

설중화 雪中花

겨우내
시린 한풍에 모두들 내려놓고
나조차 웅크린다

물줄기도 숨죽이고
각색들마저 순백에 숨었는데
웬걸 고운 꽃송이 기특하다

여태껏 꽃 피움을 놓지 않았구나

끝끝내까지 이 악물고 버텨낸 너는
마침내 홀로 고고히 빛난다.

명명 命名

오래전에 태어났으면 좋으련만.
그럼 그대 닮은 동백꽃에
그대 이름 붙여주었을 터인데

여백으로 채워진 마음

소복한 눈 위에
그대가 적어준 말

그저 조그마한 눈의 빈틈일 뿐인데
저의 심장이 뛰고 있음을 실감했어요.

전유 專有

그대는
내가 순수히 하는 사랑을
느낄 수 있는 유일한 사람.

만개의 꽃이 되어

꽃임이 분명하였는데
뭐가 그리 아쉬워
일찍이 만개의 꽃-피우고
설핏 그렇게 가셨나요

하늘에, 바다에, 우리 가슴에……

그대들 이미 모든 꽃이었다
기다림 놓은 게 아니라
나를 놓아 기다리고 있기에
기다림의 꽃으로,
그렇게 꽃이어 왔다.
그리도 마음 깊이 피어왔다.

등대지기

저는 여직 그곳에 머무릅니다

그대 가벼운 마음으로
저 한 번만 찾으신다면

그 미미한 마음,
그 옅은 노력으로도
만나질 수 있게끔

저는 여직 그곳에 머무릅니다.

쉬어갈 때

가는 길도 벅차
겨우겨우 산을 오르고 있을 때

이제 막 정상에 다다르어
숨을 몰아쉬고 있을 때

그때는 보이지 않습니다

그대가 얼마나 높이 올라왔는지
당신 주위의 예쁜 꽃들까지도

잠시 내려놓고
쉬어갈 때

숨을 가다듬고
벤치에 앉아 곁을 둘러볼 때

그제서야 보입니다

그대가 얼마나 많은 것을 이루어 내었는지
당신 곁에 어떤 것들이 함께하고 있는지까지도

격세지감 隔世之感

인간은 하루 새 건공의 수일 산다는데

반천 년도 지낸다는 어느 상어, 하루 만에 사람 며칠 살까요

오래도록 싫은 것 하도 보아 그러신지 그 무엇도 눈에 두지 않으시길래

소리 내어 여쭙습니다

그리도 유구히 사시면 원하는 것 다 이루고 가십니까

저 하루하루 더 각근히 살아내면 같은 세월 살았다 봐주시렵니까

해월 海月

살기 위해 무엇을 내려놓았나요

그저 살기만을 위해서라면 서늘한 바다 밑 삼이 될 수도

그게 아니면 적당히 타협해 장엄히, 흰 수염 단 고래로 살까요

그것도 아니면 염도를 깨우쳐 대륙들로 에둘린 바다의 붉은 달 될까요.

유유히 떠돌다 저 늙고 병들면 반로환동하여 새 삶 살면 되겠네요

해월이여 그대는 그리 살으려 어떤 것 포기하셨나요

저희는 이리 살기 위해 어떤 것 내던졌을지.

비틀어진 것

찬란하고도 덧없다
슬퍼 울면서도 마지막 즈음엔 희망을 심는다

그 희망 심은 곳 잊고도 또 시작점으로 향한다
무너지면서도 새 용기 얻고 싶어 함에
어딘가 뒤틀려 있는 거짓

왠지 그 어긋남이 좋다
그 불완전함이 그 모순됨이
아찔한 떨림을 준다

Priceless

겉보기에 값이 없다고 생각되는 것이
사실은 값을 매길 수 없다는 뜻일지 모른다

원석을 제련해 얻은 예쁜 보석보다
돌을 잘 다듬어 만든 바둑돌로
당신만의 수를 두는 것이 더 값질지 모른다

보석은 결국 어떤 값의 숫자 따위에 치환되겠지만
당신이 매 순간 노력해 두는 수는
당신만의 길이기에

그렇게 그 수가 모여 만들 당신만의 바둑판은
당신만의 세상이라
그 누구도 결코 값을 매길 수 없다

그날의 누이에게

가슴팍 삽관된 채
누운 병실에

오라버니 걱정되어 찾아온 어린 누이.

어버이께 성내며 들이지 말라 했던 날,

그 어리고도 여린 아이
홀로 밖에 쪼그려 앉아
엉엉 울었다는 말 들었을 때,
마음 심히 무너졌습니다

그 시간의 가닥
지워지지 않는 것임을
잘 압니다만

몇 번이고, 몇만 번이고
돌이킨대도
다시 맞았을 순간.

그때의 나, 약한 모습 보이면

언젠가, 그 아이 힘들면서도

내 앞에 서서, 잠시라도 주저할까

내 앞에 서기까지, 망설임 앓다 올까

두려웠습니다

기우杞憂나 품는

철없고 나어렸던 저였을지라도

누이에겐 그저, 굳센 버팀목이고 싶었습니다

미안하다 우리 막둥이.

이제야 털어놓음을

용서해다오

그때의 오라비

너무 미워 말아다오.

주심 主心 六德

인간의 덕 다 갖춰도
찰나 열로 나눠 그중 하나 가진 것이라 하니
인간이란 요원히 희미한 존재.
늦지 않게 깨우쳐 내었으니
존엄 지나 보내고 실재에 내 마음 두어야지

무교 無敎 巫敎

믿으면 있고 반대로 믿으면 없겠지요

참 다행입니다

인간에게는 사실이라는 것만이 중요치만은 않기에.

그렇다 믿으면 그런 세상 사는 것이고

다르게 믿으면 다른 세상 사는 거겠지요

누가 주었는지, 원래 있었는지, 우리가 만든지는 모르지만

저마다 그리 살 수 있는 권능 있으니

그걸로 된 거 아니겠어요

신이 있는지는 모르지만서도

있다면 그리 살라 주시지 않았겠습니까

없대도 그리 살 수 있었으니 잃은 건 없습니다

새아침

이른 아침을 보았어요

고작 두어 시간
그뿐인데

참으로
많은 것들이.

어둑새벽
아무런 무리 없이
밝은 볕 갖추었고

저 작은 새 아가들
바쁜 와중에도
반가운 짹짹거림을.

쉬다 온 나의 그늘아
오늘도 잘 부탁한다

묵묵히—
그저 묵묵히 저의 곁 지키는 것들
하루쯤 바닷내라도 맡았으면……

오늘은
조금 더 일찍
잠에 들래요

의문

지구
태양 수십 바퀴 돌면
사랑 바래지려나

그럼 그 세상 다 가진 듯했던
한없이 큰 마음들 다 어디 갔나

아
그 마음 모아 정말 새 세상 만들었구나

그럼 소세계 잉태치 않은 이들은?

가슴에 품고
생각에 스미고
저들만의 어딘가 담아놓았겠지

세상 여러 낳고 수억 번 마음 쓰고도

남기려면

나

더 크게 사랑해야지

아끼지 말고 사랑 줘야지

울보꽃

안 울려도 울고,
울리뻐면 더 잘 울고.

꽃이 우니, 오래도록 어리로워
가끔은 웃으며 달랬네

같이 울어줄 것도 아이민서,
놀리기만 하고 그제.

그때 나의 임은 참 잘 울어서
꽃을 짓는 나의 꽃은 곧잘 운다

이제 보니, 너는 지는 대신 운 게로구나

그리워라

웅얼대며 내게 폭삭이던 네가 ─

꽃이슬 닦아주면 또, 또 내주던 네가 ─

머금어 흐르는 꽃아,

꽃잎보다 더 크게 우는 꽃아,

너는 울어도 꽃이니

늘상 울면서 꽃 피워라

울면서 너무 아프지는 말고

늘 그랬듯, 울면서 꽃 피워라

꿈

허황되었대도 한번 꿔보리

13월을

새 계절을

시간의 역행을

재하 된 영원함을

뉘도 모를 지하세상을

그리고 어디에나 그대 있는 확정미래를

존재만으로 기쁨이 되는 것들이 있다

존재만으로 기쁨이 되는 것들이 있다
이를테면 꽃 햇빛 바다

나도 감히
누군가에게는

그리되어 보고자 한다

아참,

너는 이미 내게 그렇다